Les Catastrophes naturelles

Cet ouvrage est l'adaptation française de
Extreme Weather
Copyright © 2009 Weldon Owen Pty Ltd

Président-directeur général groupe : John Owen
Directeur général : Sheena Coupe
Directeur de création : Sue Burk
Développement : John Bull, The Book Design Company
Coordination éditoriale : Lisa Conway, Mike Crowton
Directeur artistique : Trucy Henderson
Vice-président, Ventes internationales : Stuart Laurence
Vice-président, Ventes et développement : Amy Kaneko
Vice-président, Ventes Asie et Amérique latine : Dawn Low
Administrateur, Ventes internationales : Kristine Ravn

Responsable de projet : Barbara Sheppard
Designer : John Bull/The Book Design Company
Illustrateurs : Christer Eriksson, Dr Mark Garlick, Andy@KJA-studios, MBA Studios,
Dave Tracey, Guy Troughton

Édition française
© Larousse 2009
Traduction : Valérie Garnaud d'Ersu
Coordination éditoriale : Belle Page, Boulogne
ISBN: 978-2-03-584668-6
N° de projet : 11009315
Dépôt légal : septembre 2009

Photogravure : Chroma Graphics (Overseas) Pte Ltd
Imprimé en Chine par SNP Leefung Printers Ltd – septembre 2009

À la loupe

Les Catastrophes naturelles

H. Michael Mogil et
Barbara G. Levine

LAROUSSE

Sommaire

Panorama

Zoom sur

Panorama

Le moteur du temps
Le Soleil

Le temps (ou météo) décrit l'état de l'atmosphère, ce qui comprend le vent, les nuages, les orages, la température et les précipitations, pluie ou neige. Le climat est la moyenne des conditions météo sur de nombreuses années. Le temps comme le climat sont « alimentés » par le Soleil, qui dégage de l'énergie sous forme de rayonnement, pour l'essentiel la lumière. La moitié seulement de l'énergie libérée par le Soleil est absorbée par la surface de la Terre et convertie en chaleur. L'autre moitié est réfléchie dans l'espace ou absorbée par l'atmosphère. Près de l'équateur, les rayons du Soleil sont presque verticaux et l'essentiel de la chaleur est absorbé. Près des pôles Nord et Sud au contraire, ils sont obliques et la chaleur absorbée est donc plus faible.

Les grandes lignes de la météo

À tout instant se produisent sur notre planète des événements météorologiques variés. La progression des orages est modifiée par les vents d'altitude et de surface. Les courants océaniques provoquent des mouvements d'eaux chaudes et froides et atténuent les différences de température entre les pôles et l'équateur. La pollution, les feux de forêt, les cendres volcaniques influent aussi sur le climat de la Terre.

La chaleur du Soleil *Les rayons de Soleil chauffent la surface de la Terre. La température varie plus sur terre qu'en mer. La neige peut réfléchir 90 % de l'énergie solaire, tandis que les forêts tropicales sombres en absorbent une grande partie.*

Tempête sur l'océan *En dehors de la zone intertropicale, la rencontre de fronts chauds et froids crée également de fortes tempêtes. Souvent plus larges qu'un cyclone, leurs vents sont toutefois moins violents.*

Cyclone *Les cyclones sont les très fortes tempêtes en masse spiralée qui se forment au-dessus des eaux chaudes près de l'équateur. On les appelle ouragans près de l'Amérique et typhons près de l'Asie.*

Exosphère

Thermosphère

Mésosphère

Stratosphère

Troposphère

Couches superposées
L'atmosphère est une fine couche de gaz, de 700 km d'épaisseur, qui enveloppe la Terre, comme la peau d'une orange. Dans la stratosphère, la couche d'ozone protège la Terre des rayons ultraviolets. C'est dans la troposphère que se produisent les phénomènes météorologiques.

Air en mouvement *Le jet-stream est une étroite bande de vents violents qui circulent entre 8 et 20 km d'altitude.*

Feu *Lorsqu'une forêt brûle, une grande quantité de fumée et de cendres se répand dans l'atmosphère. Ces polluants forment un nuage qui bloque la lumière solaire.*

Tempête de sable *Des vents de surface violents, produits par des tempêtes dans le désert, soulèvent poussière et sable. Plusieurs fois par an, la poussière africaine traverse l'Atlantique et parvient en Amérique du Nord.*

VARIATIONS AVEC LES SAISONS

Comme l'axe de notre planète est légèrement incliné, les hémisphères Nord et Sud reçoivent des quantités de lumière variables selon les saisons. Lorsqu'un hémisphère est « penché » vers le Soleil, c'est l'été ; lorsqu'il s'incline à l'opposé du Soleil, c'est l'hiver.

Printemps dans l'hémisphère Nord, automne dans le Sud

Été dans l'hémisphère Nord, hiver dans le Sud

Soleil

Hiver dans l'hémisphère Nord, été dans le Sud

Automne dans l'hémisphère Nord, printemps dans le Sud

Variations de pression
Le vent

Le vent est de l'air en mouvement. Il souffle dans toutes les couches de l'atmosphère et dans toutes les régions du globe. Ce sont les variations de pression et de température des masses d'air qui donnent les vents. L'air chaud monte, ce qui diminue le nombre de molécules d'air au niveau du sol, créant une zone de basse pression. L'air froid, au contraire, descend et augmente le nombre de molécules d'air, créant une zone de haute pression. Le vent apparaît lorsque l'air se déplace des hautes pressions vers les basses pressions. Plus la différence de pression est importante, plus le vent est fort.

La force du souffle

Le vent crée des vagues à la surface de l'eau et peut même pousser l'eau sur des terres basses. Les régions côtières sont exposées aux vents forts parce que l'air frais au-dessus de l'eau souffle vers le rivage pour y remplacer l'air chaud qui monte. Lorsque le vent souffle en rafales, les branches et les troncs des arbres cassent parfois.

Déferlement *Lorsqu'une vague approche du rivage, sa base est ralentie par le frottement tandis que le sommet continue sa progression. Les vents forts poussent l'eau vers l'intérieur des terres.*

Des troncs qui ploient
Les feuilles et les aiguilles des arbres sont comme les ailes d'un moulin et offrent une prise au vent. L'arbre est plus exposé au vent dans sa partie supérieure, ce qui fait ployer le tronc sous le vent.

La force de Coriolis *En tournant sur elle-même, la Terre dévie la trajectoire des vents. Les vents tournent vers la droite dans l'hémisphère Nord, vers la gauche dans l'hémisphère Sud.*

Cellule de Hadley

Cellule de Ferrel

Cellule polaire

Équateur

Sens des vents *Les vents dominants sont des vents d'est près des pôles et de l'équateur, des vents d'ouest sous les latitudes moyennes. Les mouvements d'air ascendants ou descendants dessinent comme des bouées autour de la Terre.*

VENTS LOCAUX

Les petites variations de température sur une faible distance créent des vents locaux. Ils soufflent toujours des endroits frais vers les endroits plus chauds. On les observe surtout près des côtes et dans les zones montagneuses.

Air froid au-dessus de la mer

Air chaud sur les terres

Brises de terre et de mer Le jour, l'air marin frais souffle vers la terre pour compenser l'air chaud, c'est la brise de mer. La nuit c'est l'inverse (brise de terre).

Brise de vallée Lorsque les pentes sont chauffées par le soleil, l'air chaud monte. La nuit, l'air chaud se rafraîchit et descend dans les vallées, en un vent froid.

Débris emportés *Branches, tuiles et autres matériaux emportés par le vent se transforment en dangereux missiles dans leur chute.*

L'eau dans le ciel

Les nuages

Les nuages sont des masses de vapeur d'eau condensée et accumulée autour de fines particules de poussière. Ils se forment généralement lorsque l'air chaud monte, se dilate puis refroidit. Ils apparaissent aussi au contact de deux masses d'air, par exemple le long des pentes montagneuses. Lorsque les courants d'air ascendants sont intenses les gros cumulus se développent, tandis que les courants lents donnent des stratus filamenteux. Le brouillard est dû à un stratus qui touche le sol. Les nuages nous semblent blancs parce que les gouttelettes d'eau réfléchissent la lumière. Lorsqu'ils sont sombres, c'est parce qu'ils sont si denses que la lumière ne parvient pas à les traverser.

Ciel menaçant

De gros nuages sombres, des vents forts annoncent la tempête. Une « ligne de grains » formée d'orages violents se déclare le long d'un front d'air froid. Alimentés par l'air froid et se formant à l'avant du rideau de pluie, ces orages peuvent se succéder pendant six heures et davantage.

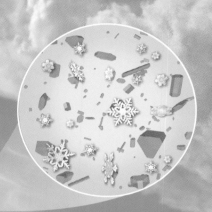

Eau gelée *Les fins cirrus contiennent des cristaux de glace. Dans un air très froid, la vapeur d'eau passe directement à l'état de neige ou de glace. La forme des cristaux dans les flocons dépend de la température de l'air et de la vapeur d'eau.*

Alignés *Les altocumulus sont de gros nuages cotonneux, souvent disposés en alignements. Ils se forment à partir d'air chaud qui s'élève lentement, ou bien ils demeurent après dissipation d'un orage.*

Averses *Il ne pleut pas partout sous les nuages ! Les gouttes de pluie peuvent demeurer en suspension dans l'air ascendant. Les précipitations ont plutôt lieu lorsque l'air descend. Ces courants descendants sont visibles sous forme de rideaux pluvieux gris.*

LE CYCLE DE L'EAU

Continuellement, l'eau s'évapore, forme des nuages, retombe sous forme de précipitations et est collectée dans les lacs, les rivières et les mers. Ce cycle définit le climat terrestre et assure le renouvellement de l'eau douce.

Les nuages s'accumulent au-dessus des terres

L'eau de pluie alimente les lacs et les cours d'eau

Les nuages se forment

L'eau s'évapore

L'eau s'écoule jusqu'à la mer

Pluie *Les mouvements d'air au sein du nuage font s'agglutiner les gouttelettes d'eau microscopiques. Il faut des millions de ces gouttelettes pour faire une goutte de pluie. Lorsque celles-ci sont assez grosses, elles tombent sur la Terre.*

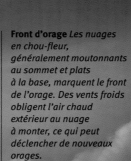

Front d'orage *Les nuages en chou-fleur, généralement moutonnants au sommet et plats à la base, marquent le front de l'orage. Des vents froids obligent l'air chaud extérieur au nuage à monter, ce qui peut déclencher de nouveaux orages.*

Écume blanche *Le vent qui souffle à la surface de l'eau entraîne la formation des vagues. Lorsque la vitesse du vent dépasse 65 km/h, la crête des vagues devient mousseuse.*

Les orages

Des nuages chargés d'électricité

Chaque jour, environ 40 000 orages éclatent autour du globe. Ils se développent lorsque l'air chaud, humide et instable s'élève très haut dans le ciel. Ils s'atténuent souvent très vite, lorsque les courants d'air froid descendants deviennent plus nombreux que les courants d'air chaud ascendants, ce qui vide le nuage de son énergie. Les orages typiques durent une à deux heures, avec éclairs et tonnerre. Les orages supercellulaires, phénomènes météorologiques violents, durent beaucoup plus longtemps et provoquent des pluies torrentielles, des averses de grêle et des tornades. Ils s'observent surtout dans les grandes plaines américaines. Des courants froids touchent le sol, accompagnés de vents violents, d'une vitesse parfois supérieure à celle des cyclones.

Nuage d'orage

La plupart des orages se déroulent en trois phases, qui durent quelques minutes ou plusieurs heures. Ils se forment dans la journée lorsque le soleil chauffe le sol ou lorsque l'air chaud ascendant rencontre un obstacle, montagne ou front froid. La partie basale du cumulonimbus, ou nuage d'orage, peut se situer à 1 000 m du sol.

Structure verticale *Le sommet du nuage d'orage atteint parfois la limite de la stratosphère. Les puissants courants ascendants peuvent faire culminer ce nuage à plus de 18 000 m, plus de deux fois la hauteur de l'Everest !*

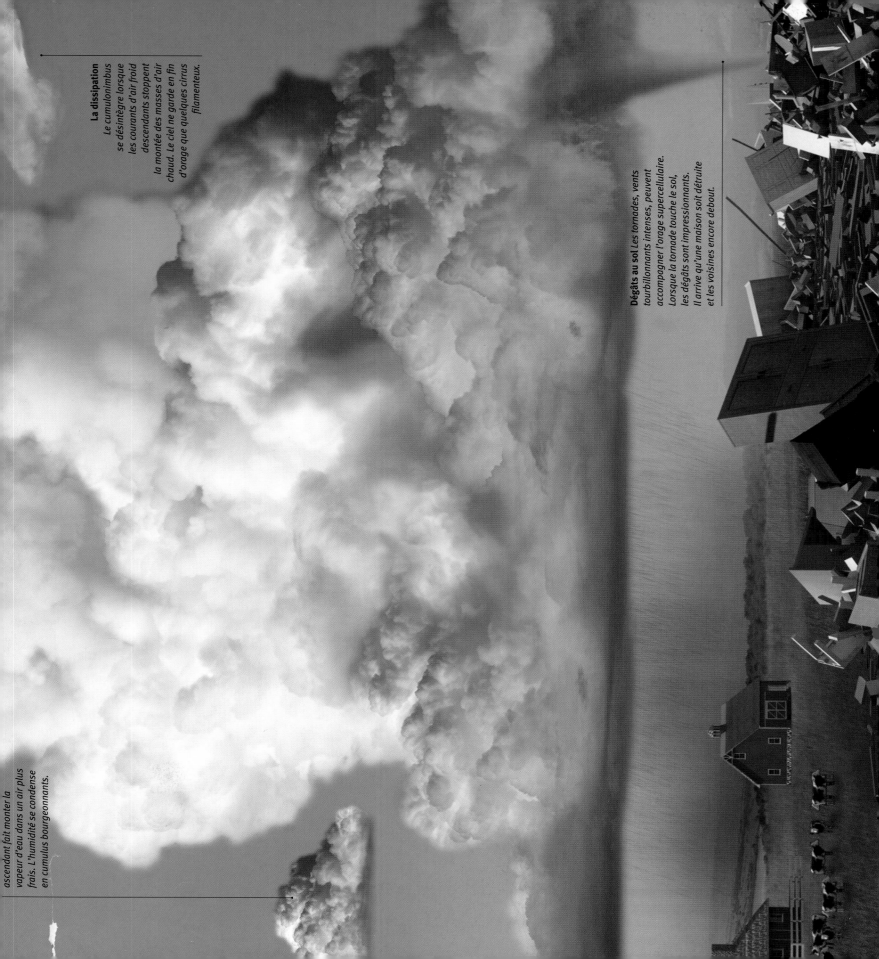

La dissipation
Le cumulonimbus se désintègre lorsque les courants d'air froid descendants stoppent la montée des masses d'air chaud. Le ciel ne garde en fin d'orage que quelques cirrus filamenteux.

Dégâts au sol Les tornades, vents tourbillonnants intenses, peuvent accompagner l'orage supercellulaire. Lorsque la tornade touche le sol, les dégâts sont impressionnants. Il arrive qu'une maison soit détruite et les voisines encore debout.

ascendant fait monter la vapeur d'eau dans un air plus frais. L'humidité se condense en cumulus bourgeonnants.

Vents tourbillonnants
Les tornades

Les tornades sont des vents tourbillonnants violents qui dépassent parfois 300 km/h. Ces vents qui tournent au cœur d'un orage intense concentrent la vapeur d'eau en un tourbillon étroit. L'entonnoir caractéristique, sous la couverture nuageuse, persiste rarement plus de 10 minutes. Les orages supercellulaires peuvent déclencher des tornades faisant des ravages durant plus d'une heure. Les plus durables sont aussi les plus étendues, jusqu'à 1,6 km de diamètre. Les dommages atteignent leur maximum là où la vitesse du vent change et sur la trajectoire des petites tornades au sein de l'entonnoir principal. Une région centrale des États-Unis est appelée « allée des tornades » car des centaines de tornades y sont observées chaque année, un record mondial !

Puissance des vents
Les vents des tornades sont les plus violents sur notre planète. Ils sont capables d'emporter des objets très lourds, comme une voiture, un wagon ou même une maison, sur plusieurs kilomètres.

Force destructrice
Les tornades arrachent souvent les toitures des maisons. Les débris emportés par le vent, branches ou même voitures, occasionnent de gros dégâts aux constructions.

Anatomie d'une tornade
Les tornades sont créées par des vents tourbillonnants au cœur d'un violent orage et par des vents en spirale au niveau du sol. Des nuages de débris attestent du contact de la tornade avec le sol.

Orage

Plafond nuageux

Entonnoir

Vent au sol

Nuage de débris

Tube creux *La pression d'air très basse à l'intérieur de l'entonnoir crée un « cœur » calme entouré de vents puissants en tourbillon. Vues de l'extérieur, les tornades évoquent un cône ou une trompe d'éléphant.*

Un éclair dans le ciel
La foudre

La foudre est la partie visible d'une étincelle électrique gigantesque dans le ciel, résultat de l'accumulation de charges électriques contraires à l'intérieur du nuage d'orage. La température de l'éclair peut atteindre 30 000 °C, cinq fois plus que la surface du Soleil ! Cette chaleur intense a pour conséquence la dilatation de l'air à une vitesse supersonique, ce qui produit le bruit du tonnerre. On estime à 3 millions le nombre quotidien d'éclairs sur Terre. La foudre touche chaque année plusieurs milliers de personnes dont la plupart survivent. L'Empire State Building, ce gratte-ciel new-yorkais, est frappé environ 100 fois par an !

Décharge dangereuse

La foudre frappe généralement les points hauts, comme les grands arbres, un clocher, parfois même une personne isolée dehors. Lorsque des nuages menaçants approchent, mettez-vous à l'abri dans un bâtiment ou un véhicule. La foudre peut aussi déclencher un feu de forêt, détruire des équipements électroniques ou provoquer un arrêt cardiaque.

COMMENT SE FORMENT LES ÉCLAIRS

Les éclairs se forment généralement dans les cumulonimbus agités par des mouvements d'air violents. Des charges négatives s'accumulent à la base du nuage, tandis que des charges positives sont soulevées par les courants ascendants. Le sol en dessous peut être chargé positivement aussi.

Du nuage au sol Si le sol est chargé positivement, la foudre frappe du nuage vers le sol.

De nuage à nuage La foudre peut se propager au sein d'un nuage ou entre charges opposées de nuages voisins.

Du nuage à l'air L'électricité peut aussi se déplacer des charges positives du nuage vers l'air environnant, chargé négativement.

Avertisseur sonore
Si l'éclair est perçu presque immédiatement, le tonnerre se propage beaucoup plus lentement. Pour déterminer à quelle distance se trouve l'orage, comptez les secondes entre l'éclair et le coup de tonnerre. Un intervalle de 3 secondes représente une distance de 1 km.

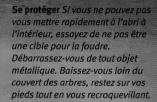

Se protéger *Si vous ne pouvez pas vous mettre rapidement à l'abri à l'intérieur, essayez de ne pas être une cible pour la foudre. Débarrassez-vous de tout objet métallique. Baissez-vous loin du couvert des arbres, restez sur vos pieds tout en vous recroquevillant.*

Ramifications *La foudre suit des trajets en zigzag vers des particules de charge opposée. L'éclair prend selon les cas l'aspect d'un arc large, d'une ligne sinueuse ou très ramifiée.*

Chassé-croisé *Presque à l'instant où la foudre quitte le nuage, un éclair « retour » quitte la Terre. L'électricité se déplace très rapidement et à plusieurs reprises entre zones de charges contraires. La foudre peut frapper jusqu'à une distance de 8 km de l'orage.*

En flammes *La chaleur intense d'un impact de foudre peut faire bouillir la sève d'un arbre et faire exploser celui-ci. Les cendres brûlantes répandues risquent ensuite d'enflammer la végétation proche et même les habitations.*

Mise à la terre *La foudre se propage à la surface du sol ou y pénètre en profondeur. Le flux électrique dégagé permet de rétablir l'équilibre des charges positives et négatives.*

Typhons, ouragans et
cyclones

Un cyclone est une tempête intense, en spirale, qui peut s'étaler sur 800 km de diamètre, produire des pluies torrentielles et un raz-de-marée sur les côtes. Avec des vents allant jusqu'à 300 km/h, les cyclones sont souvent considérés comme les pires tempêtes. Ils ont une durée de vie de plusieurs jours à plusieurs semaines et les dégâts engendrés comprennent aussi bien destruction des navires que dévastation de zones côtières. Ces cyclones se forment au-dessus des eaux tropicales, généralement en été. On les appelle typhons près de l'Asie, ouragans près des côtes américaines, cyclones près de l'Australie et dans l'océan Indien.

Un cyclone qui gagne en puissance
La plupart des cyclones qui touchent l'Europe et l'Amérique du Nord prennent naissance au large des côtes africaines. Lorsque la tempête s'éloigne de l'équateur, elle gagne en puissance et amorce son mouvement de rotation. Le cyclone peut se renforcer ou au contraire ralentir à plusieurs reprises lors de son déplacement au-dessus de l'océan. Il perd de sa vitesse lorsqu'il atteint le continent.

Étape 2 *Les nuages se rassemblent en spirale lorsque s'accélèrent la rotation et la vitesse du vent. On parle de tempête tropicale lorsque la vitesse des vents atteint 63 à 118 km/h.*

Étape 1 *Le cyclone prend naissance sous forme d'un groupe d'orages près de l'équateur. Les vents de haute altitude rassemblent les nuages d'orage et amorcent leur rotation. Le cyclone est « alimenté » par l'air chaud et humide ascendant.*

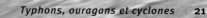

Passage destructeur
Les vents violents et le raz-de-marée qui accompagnent
le cyclone sont capables de détruire ou de soulever
des bâtiments, de déplacer voitures et bateaux. Chaque année,
les cyclones font de nombreuses victimes humaines,
qui n'ont pas pu se mettre à l'abri.

Vents ascendants
*L'air chaud ascendant
« nourrit » les nuages
d'orage. Des bandes
de pluie intense se
concentrent sous les bras
spiralés du cyclone.*

Mur de l'œil

Œil

Étape 3 *Lorsque la vitesse
du vent dépasse 118 km/h,
la tempête devient cyclone.
La zone la plus calme
du cyclone est son centre
ou « œil ». Les vents les plus
forts sont enregistrés
dans le « mur de l'œil »,
qui entoure l'œil du cyclone.*

Inondations sur la côte *Les vents violents
peuvent provoquer un raz-de-marée qui
pousse l'eau de mer jusqu'à plusieurs
kilomètres à l'intérieur des terres. Le
déferlement des vagues entraîne aussi
une érosion destructrice sur les plages.
Le cyclone faiblit et s'éteint lorsqu'il arrive
au-dessus des terres ou d'eaux froides.*

La tempête en mer
Un mur d'eau

Les systèmes de basses pressions mettent en jeu des interactions entre masses d'air froid et sec continental et masses d'air chaud et humide océanique. Lorsque ces masses d'air se rencontrent, des tempêtes se développent. Sous les latitudes moyennes et hautes, ces tempêtes dépressionnaires s'intensifient rapidement : elles sont souvent beaucoup plus étendues que les tempêtes tropicales, avec des vents dépassant les 118 km/h. Ces vents violents provoquent des vagues immenses, véritables murs d'eau.

Vue de l'espace
Cette photo satellite montre une gigantesque tempête de moyenne latitude sur les îles britanniques, avec des vents violents en spirale caractéristiques de l'hémisphère Nord, dans le sens contraire des aiguilles d'une montre. La force de Coriolis inverse le sens dans l'hémisphère Sud.

Bateau *Il est presque impossible pour un bateau de naviguer avec de telles vagues. La seule possibilité pour le capitaine consiste à essayer de mettre le cap sur la vague qui arrive. Si le navire reçoit la vague par le travers, il a toutes chances de chavirer.*

Effets combinés *Les vagues générées par le vent dans l'océan peuvent se renforcer mutuellement pour donner des vagues encore plus hautes. Elles peuvent former une crête si les vents sont assez forts pour propulser en avant leur sommet. Certaines, au contraire, interfèrent avec d'autres vagues et ont moins de hauteur.*

L'océan déchaîné

L'équipage du chalutier tente de garder le navire à flot à l'approche d'une vague immense. Les tempêtes océaniques intenses, avec des vents très violents, se forment lorsqu'une tempête tropicale rencontre un système dépressionnaire. Les vents engendrés peuvent alors générer des vagues de 30 m de hauteur. Par comparaison, le tsunami le plus fort jamais enregistré, vague gigantesque causée par un tremblement de terre ou une éruption volcanique, mesurait 524 m.

LES COURANTS OCÉANIQUES

Les principaux courants océaniques sont créés par les systèmes des vents. Ils transportent des eaux chaudes (flèches rouges) ou froides (flèches bleues) sur de grandes distances et influencent le climat. Ainsi le Gulf Stream est un courant d'eau chaude qui part de la mer des Antilles et gagne l'Atlantique Nord, rendant le climat de l'Europe du Nord-Ouest plus doux qu'il ne serait sinon.

Emportés par les
inondations

Les inondations sont responsables de 40 % des pertes humaines liées aux catastrophes naturelles. Elles sont causées par des pluies diluviennes, par la rupture d'un barrage ou d'une digue, ou par un raz-de-marée sur les côtes. Des pluies intenses et prolongées font sortir les rivières de leur lit. La crue d'un fleuve peut durer plus d'un mois, dévastant terres agricoles et habitations. Les routes et autres revêtements imperméables diminuent la capacité d'absorption d'eau par le sol et augmentent donc le ruissellement.

L'eau en furie

Les crues torrentielles se produisent à la suite de pluies violentes. Ainsi un déluge en montagne peut-il provoquer une crue torrentielle à plusieurs kilomètres de distance. L'eau s'engouffrant dans les gorges est assez puissante pour emporter des voitures, des blocs rocheux et même des maisons. Il n'y a aucun moyen de maîtriser ces eaux.

Risque accru *Berges brûlées par le soleil et sols secs perdent de leur perméabilité. L'eau ruisselle alors en surface au lieu de s'infiltrer.*

Parois abruptes *Dans les zones montagneuses, l'eau de pluie vient rapidement gonfler les cours d'eau dans les gorges étroites. Celles-ci forment un entonnoir qui accélère la vitesse de l'eau dévalant de la montagne.*

CONTENIR LES CRUES

Les zones présentant des risques d'inondation peuvent être protégées par des barrières destinées à contenir la montée des eaux. Mais ce type de structure, protectrice à un endroit, risque de provoquer la montée des eaux à un autre endroit non protégé.

Digue Des banquettes de terre renforcées permettent de maîtriser les rivières au cours irrégulier ou aux crues fréquentes.

Barrière de protection contre les marées Dans les zones côtières basses, ces barrières arrêtent les vagues anormalement hautes et les grandes marées.

La puissance de l'eau *Lors d'une crue violente, la vitesse de déplacement de l'eau peut atteindre 16 km/h. La puissance de l'eau est alors comparable à celle des vents dans un cyclone de classe 1.*

Barrage Un barrage est un mur de béton qui bloque ou régule le flux d'une rivière ayant des crues fréquentes.

Comment faire face à
la chaleur extrême

Les vagues de chaleur font de nombreuses victimes. Ces longues périodes de températures supérieures à la normale durent de quelques jours à plusieurs semaines. Elles sont d'autant plus meurtrières lorsque la chaleur se renforce dans la journée et que les températures nocturnes demeurent élevées. En 2003 en Europe, une vague de chaleur qui a duré 10 jours a causé environ 35 000 décès. La température la plus élevée, 47,2 °C, a été enregistrée à Séville en Espagne. Ces périodes de canicule menacent particulièrement les personnes âgées, les jeunes enfants et les malades. Elles vont généralement de pair avec une sécheresse marquée.

Oasis *Des strates rocheuses sous la surface du désert retiennent l'eau. Les racines des plantes vont puiser dans ce réservoir souterrain, tandis que les humains creusent des puits pour remonter l'eau à la surface du sol.*

Manque de pluie

Les déserts sont des régions sèches qui reçoivent peu de pluie. Ils couvrent un septième de la surface de la Terre. Les nomades du Sahara utilisent des chameaux comme animaux de bât parce qu'ils survivent avec très peu d'eau. Mais les déserts ne sont pas toujours chauds. L'Antarctique est le continent le plus sec, un désert gelé qui reçoit moins de 25 cm de précipitations par an.

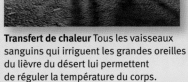

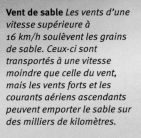

Vent de sable *Les vents d'une vitesse supérieure à 16 km/h soulèvent les grains de sable. Ceux-ci sont transportés à une vitesse moindre que celle du vent, mais les vents forts et les courants aériens ascendants peuvent emporter le sable sur des milliers de kilomètres.*

ADAPTATIONS DANS LE RÈGNE ANIMAL

Pour survivre dans le désert, les animaux doivent supporter des températures extrêmes, trouver et recycler l'eau. Certains produisent des déjections presque sèches pour limiter les pertes d'eau. La plupart chassent la nuit, quand il fait moins chaud.

Transfert de chaleur Tous les vaisseaux sanguins qui irriguent les grandes oreilles du lièvre du désert lui permettent de réguler la température du corps.

Emballage humide La peau de cette grenouille du désert forme de petits sacs qu'elle peut remplir d'eau de pluie. Elle peut ainsi rester enterrée plusieurs années, presque en hibernation.

Vaisseaux du désert
*Les chameaux peuvent
se passer d'eau pendant
des jours, car ils utilisent
leur bosse comme réserve
de nourriture et leur fourrure
laineuse comme isolant
contre la chaleur.
Ils transpirent très peu.*

Illusion d'optique
*Un mirage correspond
à une masse d'air brillante
qui ressemble à une mare.
Il se forme par réfraction
de la lumière dans une
couche d'air chaud située
près du sol et au-dessous
d'air plus frais.*

Protection appropriée
*Des vêtements lâches
laissent passer l'air et
retiennent l'humidité pour
éviter la déshydratation. Un
foulard protège le visage et
le cou de la chaleur comme
de la morsure des grains
de sable portés par le vent.*

Dans l'espace

Aurores polaires

Averses lumineuses

Les particules du vent solaire vibrent lorsqu'elles heurtent l'atmosphère terrestre. Quand elles reprennent leur état d'origine, elles diffusent une lumière colorée. Les particules d'oxygène dégagent une lumière rouge, verte et jaune. Les aurores polaires, surtout observées dans les régions polaires, se produisent entre 80 et 600 km d'altitude.

Le Soleil est à la source de toute la météo de notre système solaire. Des gaz circulent dans l'atmosphère qui entoure le Soleil, en un vent constant de particules ayant une charge magnétique. Ce vent solaire voyage dans l'espace et atteint la Terre en deux à six jours. Le champ magnétique entourant notre planète la protège des effets néfastes du vent solaire et dévie les particules chargées vers les pôles Nord et Sud. Si elles atteignent l'atmosphère terrestre, ces particules peuvent déclencher des tempêtes magnétiques, mais aussi produire des aurores polaires, superbes spectacles lumineux dans le ciel nocturne. Dans l'hémisphère Nord on les appelle aurores boréales et aurores australes dans l'hémisphère Sud.

Rideau lumineux dans le ciel
La météo dans l'espace comprend des phénomènes lumineux colorés appelés aurores polaires. Vues de la Terre, ces aurores évoquent des rideaux lumineux scintillants.

TEMPÊTES PLANÉTAIRES

L'énergie solaire définit le temps sur toutes les planètes de notre système solaire. La planète Mars, très froide, se caractérise par des calottes de glace et des tourbillons depoussière. L'atmosphère de Vénus, riche en dioxyde de carbone, peut déclencher des éclairs.

Flammes de gaz Des flammes se dessinent à la surface du Soleil lors d'émissions d'énergie qui transpercent l'atmosphère entourant cette étoile.

Tache rouge de Jupiter Cette tempête géante fait rage sur Jupiter depuis plus de 300 ans. Cette tache rouge a une taille double de celle de la Terre !

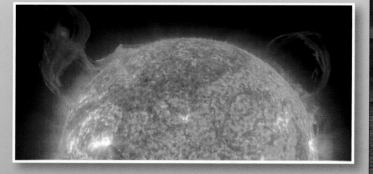

À l'intérieur de
l'œil du cyclone

Les météorologistes, scientifiques qui étudient le temps, ont développé des outils sophistiqués pour enregistrer les conditions météorologiques et améliorer leurs prévisions. Ces outils équipent des stations météo présentes dans le monde entier : aux pôles, dans les déserts, les océans et même dans l'espace grâce aux satellites. Les données sont transmises électroniquement et traitées par ordinateur, puis enregistrées sur des cartes et dans des relevés météo. Pour surveiller et suivre les cyclones et tempêtes, ces scientifiques utilisent des radars Doppler qui mesurent les vents et les précipitations, des satellites météorologiques pour les détecter, et même des avions dits « chasseurs de cyclone ».

Chasseur de cyclones

Cet avion très particulier survole le cyclone à environ 12 000 m d'altitude. Les instruments de bord effectuent de nombreuses mesures. Des données complémentaires sont fournies par des satellites, des bouées météo, des navires, des stations météo à terre.

Dropsonde *Les scientifiques lâchent des dropsondes, ballons équipés d'appareils de mesure, dans l'œil du cyclone. Ces sondes enregistrent vent, température, pression et humidité deux fois par seconde. Ralenties par un parachute, elles mettent environ 15 mn à toucher la surface de l'eau.*

Dans l'œil *Les cyclones présentent un centre bien défini, l'« œil ». S'il n'est pas parfaitement calme, l'œil connaît des vents très faibles par rapport à ceux, les plus violents, du « mur du cyclone » qui entoure l'œil.*

Mur de l'œil

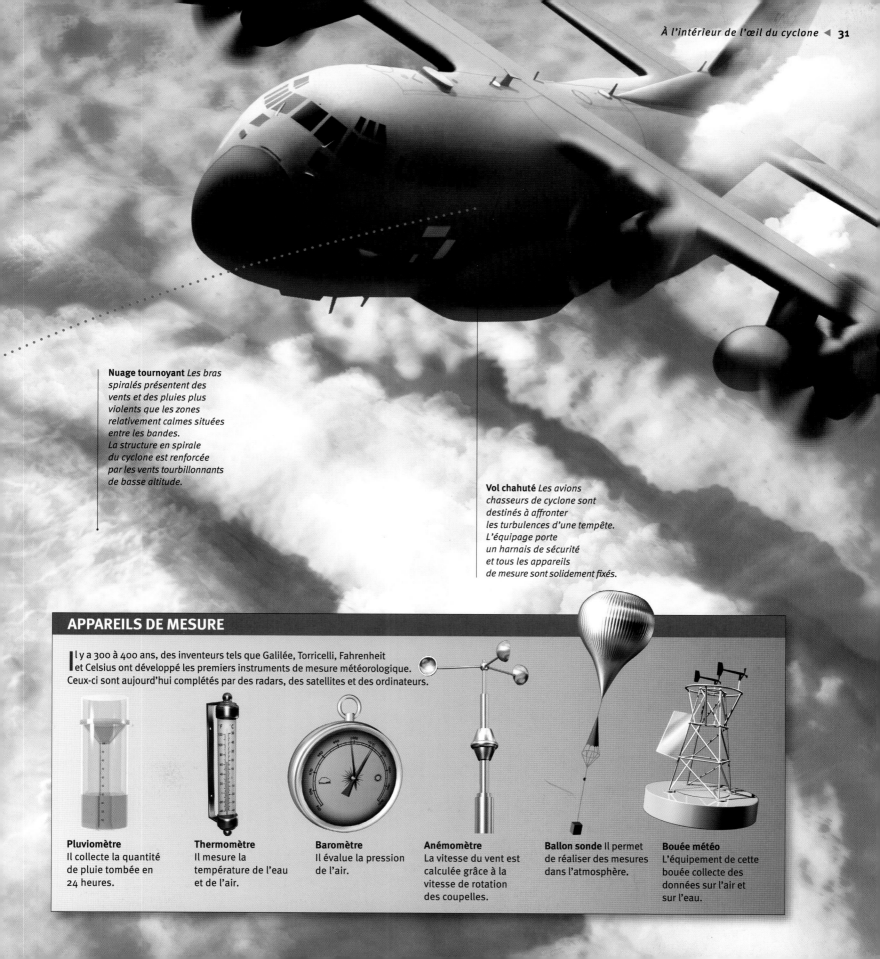

Nuage tournoyant *Les bras spiralés présentent des vents et des pluies plus violents que les zones relativement calmes situées entre les bandes.*
La structure en spirale du cyclone est renforcée par les vents tourbillonnants de basse altitude.

Vol chahuté *Les avions chasseurs de cyclone sont destinés à affronter les turbulences d'une tempête. L'équipage porte un harnais de sécurité et tous les appareils de mesure sont solidement fixés.*

APPAREILS DE MESURE

Il y a 300 à 400 ans, des inventeurs tels que Galilée, Torricelli, Fahrenheit et Celsius ont développé les premiers instruments de mesure météorologique. Ceux-ci sont aujourd'hui complétés par des radars, des satellites et des ordinateurs.

Pluviomètre
Il collecte la quantité de pluie tombée en 24 heures.

Thermomètre
Il mesure la température de l'eau et de l'air.

Baromètre
Il évalue la pression de l'air.

Anémomètre
La vitesse du vent est calculée grâce à la vitesse de rotation des coupelles.

Ballon sonde Il permet de réaliser des mesures dans l'atmosphère.

Bouée météo
L'équipement de cette bouée collecte des données sur l'air et sur l'eau.

Changements
climatiques

La Terre s'est formée il y a 4,6 milliards d'années et sa température a varié au fil du temps. À certaines périodes, il faisait plus chaud qu'aujourd'hui, à d'autres beaucoup plus froid. Les conditions météorologiques évoluent depuis peu de façon dramatique, du fait des activités humaines et de l'augmentation des émissions de dioxyde de carbone. Ces 100 dernières années, la température moyenne de la Terre a augmenté de 0,6 °C et le taux de dioxyde de carbone dans l'atmosphère de 33 %. La couverture glaciaire a nettement diminué. Le dioxyde de carbone piège la chaleur dans l'atmosphère terrestre, un peu comme les fenêtres d'une serre retiennent l'air chaud à l'intérieur. Certains scientifiques pensent que ce réchauffement climatique va accentuer les phénomènes météorologiques extrêmes.

Crevasses dans la banquise
Lorsque la banquise fond en surface, l'eau forme des flaques et s'infiltre dans des crevasses, ce qui affaiblit la structure de la glace et favorise la chute de blocs.

Évolution des températures

Depuis la fin du XIXᵉ siècle, lorsque l'on a commencé à brûler du charbon dans les usines pour produire de l'énergie, les émissions de dioxyde de carbone ont augmenté, de même que la température moyenne de notre planète (ligne rouge).

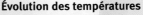

Température moyenne globale

Moyenne des températures sur la période

16 °C

15 °C

14 °C

1900   1925   1950   1975   2000

Année

Chute de glace

La calotte glaciaire de l'Antarctique, le plus grand glacier du monde, représente près de 90 % de la glace de notre planète. Lorsqu'un bloc de glace se détache, il est emporté par les courants vers des eaux plus chaudes où il fond. Cette eau contribue à relever le niveau des mers, ce qui peut modifier les courants océaniques et causer des inondations.

Le sommet de l'iceberg *Les icebergs sont ces gros blocs de glace (constituée d'eau douce) qui se détachent de la banquise. La partie émergée ne représente que 10 % de la masse totale de l'iceberg.*

Chute *La fonte et la chute de blocs de glace réduisent la banquise. Chaque année, les chutes de neige compensent en partie ces pertes. La couverture glaciaire diminue actuellement parce que les chutes de neige ne compensent pas la fonte des glaces.*

RECUL DES GLACIERS

D ans le monde entier, les glaciers reculent rapidement du fait de l'augmentation des températures et de moindres chutes de neige. Ces photos montrent le recul du glacier de Trift, en Suisse, en une seule année.

2002   **2003**

LA NOUVELLE-ORLÉANS, OURAGAN KATRINA

LOCALISATION : La Nouvelle-Orléans, Louisiane, États-Unis

DATE : 23–30 août 2005

FORCE DU CYCLONE: catégorie 5 dans le golfe du Mexique ; catégorie 3 sur les côtes

PERTES HUMAINES : 1 833

Fiche d'identification
En quelques lignes, les informations essentielles sur chaque catastrophe naturelle présentée.

Repérage Cette carte indique où a eu lieu la catastrophe présentée. Recherche le point ou la zone rouge sur la carte.

Élément météo concerné
Cette échelle verticale mentionne l'élément météorologique concerné par la catastrophe naturelle décrite.

Zoom sur

VENT

Désert de Gobi

Tempête de **sable**

DÉSERT DE GOBI, TEMPÊTE DE SABLE

LOCALISATION : désert de Gobi, Chine

DATE : **9-11 avril 2006**

FORCE DE LA TEMPÊTE : **non mesurée**

PERTES HUMAINES : **9**

Dans les déserts et les zones arides, des vents violents en période de sécheresse prolongée peuvent déclencher d'impressionnantes tempêtes de sable et de poussière. Les particules de poussière, dix fois plus petites que les grains de sable, demeurent donc plus longtemps en suspension. La poussière peut être transportée sur des milliers de kilomètres et s'élever jusqu'à 3 000 m d'altitude. Certaines tempêtes de sable sont même visibles de l'espace ! Les poussières portées par le vent sont responsables de problèmes de santé et d'environnement; elles ont notamment un impact sur les fragiles récifs coralliens. Enfin, la visibilité réduite et l'obstruction des moteurs par le sable gênent la circulation.

La poussière envahit le ciel

Une gigantesque tempête de sable submerge un village dans la province du Gansu, près du désert de Gobi. De telles tempêtes sont fréquentes dans le nord-ouest de la Chine, là où les sols sableux et les mauvaises pratiques agricoles ont favorisé l'érosion et la désertification. En 2006, neuf tempêtes de sable ont touché la région en deux mois. La poussière atteint parfois le Japon, la Corée et même les États-Unis.

EAU

CHALEUR

À l'approche du nuage *Les tempêtes de sable se déplacent jusqu'à 80 km/h. Près de leur point de formation, ces tempêtes se déclarent presque sans signes avant-coureurs. Parfois, des précipitations accompagnant un nuage de poussière donnent une pluie de boue.*

Amoncellements
Ces tempêtes déposent des tonnes de sable et de poussière qui viennent recouvrir des maisons, des véhicules, des champs et des routes.

Nuage de poussière
En 1983, un gigantesque mur de poussière porté par un front froid très puissant a déferlé sur la ville de Melbourne en Australie. Après le passage de la tempête, il a fallu évacuer 1 000 t de poussière !

Circulation difficile
Mêlée à la pollution, la poussière transportée par le vent crée un brouillard étrange dans le ciel de Pékin, en Chine. Selon le type et l'épaisseur de la poussière, le ciel paraît jaune, rouge, brun ou noir.

Lutte contre l'érosion *Les agriculteurs enfoncent des ballots de paille dans le sol comme barrières contre les vents de sable. Le gouvernement chinois a mis en place un programme de plantation d'arbres et d'arbustes pour constituer des brise-vent.*

VENT

EAU

CHALEUR

Trajectoire des tornades

Chaque marque colorée indique le passage d'une tornade au sol. Certaines tornades ont touché le sol sur 16 à 32 km, parfois davantage.

EF4
EF3
EF2
EF1
EF0

TENNESSEE, TORNADES À RÉPÉTITION

LOCALISATION : Jackson, Tennessee, États-Unis

DATE : 5 février 2008

FORCE DE LA TEMPÊTE : EF4 et EF3 sur l'échelle de Fujita étendue

PERTES HUMAINES : 0

Tennessee
Tornades à répétition

Dans la journée du 5 février 2008, entre zéro heure et minuit, 133 tornades ont dévasté une zone des États-Unis englobant huit États, surtout le Tennessee, le Kentucky, l'Arkansas, l'Alabama et le Mississippi. Ce nombre est le deuxième plus important jamais enregistré en 24 heures. Des températures anormalement élevées ont alimenté des orages supercellulaires qui ont produit l'essentiel des tornades. Ce déchaînement a eu lieu plusieurs mois avant la saison habituelle des tornades et, tout aussi inhabituellement, les orages se sont surtout formés la nuit. Le nombre total des victimes s'est élevé à 84. L'une des tornades a même emporté un enfant de 11 mois sur une distance de 90 m, heureusement sans blessures graves.

Bâtiments soufflés

Les deux tornades qui ont touché L'Union University dans le Tennessee ont ravagé les chambres d'étudiants. La plus forte tornade, avec des vents soufflant à 265 km/h, a été classée EF4 sur l'échelle de Fujita étendue. La seconde à dévaster l'université était une tornade classée EF3. Des étudiants ont été bloqués dans les décombres mais il n'y a pas eu de victimes.

Par paires *Les tornades ne sont pas toujours isolées. Parfois, un ou plusieurs « entonnoirs » tournent autour d'une tornade centrale. Les tornades à multi-vortex, issues d'un même nuage, ont une trajectoire difficilement prévisible. Côté dégâts, un bâtiment peut être intact tandis que tout est détruit alentour.*

VENT

EAU

CHALEUR

Birmanie

Cyclone Nargis

Avec des vents atteignant 195 km/h, le cyclone Nargis fut l'un des plus meurtriers en Asie. Ce cyclone de catégorie 3 a touché la terre dans le delta de l'Irrawaddy, une zone de terres basses, dans le sud du Myanmar (ou Birmanie). Il y a eu près de 85 000 morts, à cause de l'intensité du cyclone, des inondations et de l'absence d'alerte météo. Des centaines de têtes de bétail ont péri également. Ce cyclone était la première tempête de la mousson d'été dans cette région. Si le nom de mousson évoque souvent des pluies torrentielles, il correspond en réalité à un système de vents qui s'inversent selon les saisons. Inde et Asie du Sud-Est connaissent des périodes de mousson humide et sèche.

BIRMANIE, CYCLONE NARGIS

LOCALISATION : delta de l'Irrawaddy, Birmanie

DATE : 2-3 mai 2008

FORCE DE LA TEMPÊTE : catégorie 3

PERTES HUMAINES : 85 000

Vague dévastatrice

Les vents impitoyables ont provoqué un raz-de-marée de 3,5 m de hauteur qui a pénétré sur 40 km à l'intérieur des terres. Pour y échapper, il fallait se mettre en hauteur. De nombreuses personnes ont attendu pendant des jours dans les arbres que les eaux se retirent.

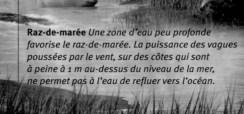

Raz-de-marée *Une zone d'eau peu profonde favorise le raz-de-marée. La puissance des vagues poussées par le vent, sur des côtes qui sont à peine à 1 m au-dessus du niveau de la mer, ne permet pas à l'eau de refluer vers l'océan.*

Champs inondés
Le raz-de-marée a dévasté cette région agricole de delta aux terres fertiles. Les arbres de la mangrove, protection naturelle contre les inondations, avaient été abattus pour exploiter davantage de terres.

Maisons éventrées *Même si certaines constructions sont surélevées à titre de protection contre les grandes marées, la force des vagues et des vents met les murs des maisons à terre.*

VENT
EAU
CHALEUR

La Nouvelle-Orléans

Ouragan **Katrina**

LA NOUVELLE-ORLÉANS, OURAGAN KATRINA

LOCALISATION : La Nouvelle-Orléans, Louisiane, États-Unis

DATE : 23-30 août 2005

FORCE DE LA TEMPÊTE : catégorie 5 dans le golfe du Mexique, catégorie 3 sur les côtes

PERTES HUMAINES : 1 833

L'ouragan Katrina est celui qui a causé le plus de dommages matériels et le cinquième plus meurtrier à avoir touché les États-Unis. On a recensé 1 833 victimes et des centaines de disparus. Les côtes ont été dévastées de la Floride au Texas. Il s'agissait d'un cyclone très destructeur, de catégorie 5 dans le golfe du Mexique, mais affaibli (catégorie 3) lorsqu'il a touché terre près de La Nouvelle-Orléans le 29 août 2005. Située entre le Mississippi et un grand lac, la ville de La Nouvelle-Orléans est sous le niveau de la mer. Les digues protégeant la ville ont cédé, entraînant des inondations catastrophiques. La population a dû quitter certains quartiers pendant des semaines. Katrina est l'un des 27 ouragans baptisés en 2005, un record pour une seule saison.

Une ville sous l'eau

Pendant des jours après le passage de l'ouragan, des habitants sont restés prisonniers des quartiers inondés. L'eau boueuse, contaminée par des substances toxiques et des déchets, submergeait les routes et les jardins. Les maisons furent dévastées d'abord par l'eau, puis par les moisissures.

Secours par bateau *Piégées dans les bâtiments par la montée des eaux, de nombreuses personnes ont trouvé refuge sur les toits. Plus de 11 000 ont été secourues par bateau.*

Rupture d'une digue *Les vents violents de l'ouragan ont créé un raz-de-marée de 7 à 8,5 m de hauteur jusqu'à 10 km/h à l'intérieur des terres. La force de l'eau a entraîné la rupture des digues et l'inondation de plus des trois quarts de la ville.*

Pont aérien *Les gardes-côtes américains ont utilisé 40 hélicoptères pour des missions de sauvetage et secouru 12 000 personnes.*

Pérou

Coulée de boue

L'eau de pluie dévalant les montagnes peut prendre assez de puissance pour couper des routes, déraciner des arbres et détruire des maisons. Les signes annonciateurs d'une coulée de boue sont une brusque montée des eaux, des chaussées qui se déforment et des murs qui se fissurent. Un phénomène météorologique appelé El Niño apporte tous les sept ans environ, sur les côtes occidentales d'Amérique du Sud, des courants marins inhabituellement chauds et de fortes pluies. Simultanément, l'autre extrémité du Pacifique connaît généralement une sécheresse. Les cycles d'El Niño durent un à deux ans et alternent avec ceux de La Niña, dont les courants chauds baignent l'ouest du Pacifique. El Niño et La Niña affectent le climat de toute la planète. Des pluies torrentielles se sont abattues sur le Pérou en décembre 2006 et en janvier 2007, pendant un cycle d'El Niño.

PÉROU, GLISSEMENT DE TERRAIN
LOCALISATION : Chanchamayo, Pérou
DATE : 22 janvier 2007
INTENSITÉ : non mesurée
PERTES HUMAINES : 16

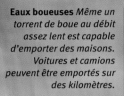

Eaux boueuses *Même un torrent de boue au débit assez lent est capable d'emporter des maisons. Voitures et camions peuvent être emportés sur des kilomètres.*

EL NIÑO ET LA NIÑA

Ce sont des variations de température dans l'océan Pacifique, sous forme de courants marins chauds. Sur les cartes ci-dessous, les eaux chaudes sont en rouge, les eaux froides en bleu.

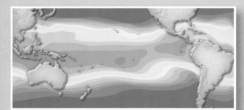

El Niño Des courants chauds de surface traversent le Pacifique jusqu'au nord de l'Amérique du Sud.

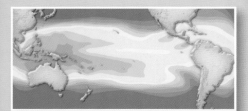

La Niña Des courants chauds de surface vont vers l'Asie et l'Australie dans le Pacifique occidental.

VENT

EAU

CHALEUR

Montagne emportée

En 2007, une période de fortes pluies déclenchée par le phénomène océanique El Niño, a entraîné le glissement d'une pente montagneuse au Pérou. Chanchamayo se trouvait sur le passage du glissement de terrain. L'eau a déferlé sur le village, puis une boue épaisse a recouvert des maisons, emporté ponts et routes et laissé des milliers de personnes sans abri.

Glissement de terrain *Les pentes raides ont du mal à absorber les pluies intenses. Lorsque le sol gorgé d'eau se liquéfie, la gravité entraîne la boue vers le bas. Les coulées de boue peuvent atteindre une vitesse de déplacement de 100 km/h.*

VENT

EAU

CHALEUR

Munich

Tempête de grêle

La grêle est une précipitation constituée de gouttes de pluie ou de flocons qui se couvrent de pellicules de glace. Les plus gros grêlons se forment dans les nuages d'orage. Des courants ascendants de plus de 160 km/h sont nécessaires pour agiter les gouttes gelées dans le nuage et permettre la formation des couches de glace. Si la grêle fait rarement des victimes, des grêlons de près de 10 cm de diamètre auraient causé la mort de 250 personnes en Inde du Nord en 1888. La grêle peut aussi arracher les feuilles des arbres, détruire les cultures et tuer du bétail.

MUNICH, TEMPÊTE DE GRÊLE

LOCALISATION : Munich, Allemagne

DATE : 12 juillet 1984

INTENSITÉ : la tempête de grêle la plus dévastatrice d'Europe

PERTES HUMAINES : 0

Verre cassé *Même s'ils n'ont pas l'élasticité d'une balle de tennis, les grêlons rebondissent lorsqu'ils heurtent une surface dure. Les gros grêlons laissent des impacts sur les carrosseries de voiture et peuvent casser les pare-brise.*

COMMENT SE FORME LA GRÊLE

La grêle se forme lorsque des vents forts tourbillonnent autour de cristaux de glace au-dessus du point de congélation dans un nuage d'orage. Les grêlons qui tombent se chargent en eau qui gèle lentement, donnant une glace translucide. Ceux en ascension se chargent en eau qui gèle rapidement, donnant une glace opaque car riche en bulles.

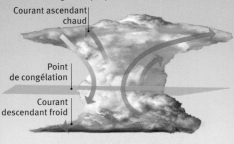

Courant ascendant chaud

Point de congélation

Courant descendant froid

Le ciel se déchaîne

En 1984, des grêlons accompagnant un violent orage se sont abattus sur la ville de Munich en Allemagne. Les plus gros avaient un diamètre de près de 10 cm. Ils sont tombés sur une trajectoire de 250 km, endommageant 700 000 maisons et 200 000 voitures, d'où des dégâts matériels énormes. Heureusement, il n'y a pas eu de mort, mais plus de 400 personnes ont été blessées.

Vue en coupe de l'intérieur d'un grêlon
Elle montre l'alternance de couches de glace translucide et opaque. Au centre se trouve une petite goutte de pluie gelée ou un flocon de neige, autour duquel s'accumule la glace.

Couches de glace

Goutte de pluie gelée

Impacts et dégâts
Des grêlons de la taille d'un pamplemousse peuvent traverser un toit. Les plus petits, poussés par le vent, laissent des traces d'impacts sur les façades et peuvent casser une vitre.

Nuages moutonnants
De curieuses formations nuageuses appelées « mammatus » apparaissent parfois à la face inférieure des nuages d'orage. Ils sont le signe de puissants courants ascendants au sein du nuage.

Québec

Tempête de glace

Les tempêtes de glace sont fréquentes au Canada, dans certaines zones des États-Unis, d'Europe et de Chine. Elles ont lieu lorsqu'une couche fine d'air polaire est recouverte par de l'air chaud et humide venu de latitudes plus basses. Les gouttes d'eau traversent alors la couche d'air très froid sans geler. Dès que ces gouttes intensément refroidies atteignent le sol, elles gèlent et enrobent tout d'une épaisse pellicule de glace. La glace s'accumulant fait ployer ou casser les branches d'arbre. Lorsque la glace fond, les arbres ne reprennent pas toujours leur silhouette d'origine.

QUÉBEC, TEMPÊTE DE GLACE

LOCALISATION : province du Québec au Canada et certaines zones des États-Unis

DATE : 4-10 janvier 1998

INTENSITÉ : non mesurée

PERTES HUMAINES : 35

Désastre hivernal

En janvier 1998, des pluies verglaçantes sont tombées sur le Québec, l'Ontario et la Nouvelle-Angleterre, déposant une couche de glace atteignant par endroits 12 cm. Branches d'arbres et lignes électriques ont cassé net. Les coupures d'électricité ont touché plus de 3 millions de foyers. Accidents de la circulation et hypothermie ont causé la mort de 35 personnes.

Gangue de glace *Les gouttes d'eau très froides qui s'étalent avant de geler déposent une glace translucide. Lorsque la pluie ruisselle sur une branche déjà gelée, une partie de l'eau goutte vers le bas en gelant, créant de petites chandelles de glace.*

VENT

EAU

CHALEUR

Embruns gelés
Les vents forts peuvent être à l'origine de grandes vagues près des côtes. Si l'air près du sol atteint des températures négatives, les embruns venus de la mer et des vagues gèlent au contact des routes, arbres, voitures, les enrobant d'une couche de glace.

Voiture renversée *Même une très fine couche de verglas réduit l'adhérence des pneus sur le revêtement. Accidents et collisions sont fréquents pendant les tempêtes de glace hivernales.*

Étincelles *Les lignes électriques rompues peuvent déclencher des incendies. Éteindre un feu dans une tempête de glace représente un véritable défi pour les pompiers : l'équipement risque d'être rapidement recouvert de glace et la pression d'eau diminue nettement lorsque les tuyaux cassent.*

ANTARCTIQUE, BLIZZARD

LOCALISATION : montagnes transantarctiques, Antarctique

DATE : juin à août

FORCE DE LA TEMPÊTE : vents équivalents à un cyclone de catégorie 2

PERTES HUMAINES : inconnues

Antarctique

L'allée des blizzards

On appelle blizzard une tempête de neige avec des vents dépassant 57 km/h. La neige réduit considérablement la visibilité, parfois à moins de 1 m. Les blizzards sont courants dans les régions polaires et en haute montagne. Une zone proche de McMurdo Sound, station de l'Antarctique, à la base des monts transantarctiques, est surnommée « allée des blizzards ». Des blizzards aussi violents qu'un cyclone, avec des vents atteignant jusque 160 km/h, y font rage pendant des semaines d'affilée, en toute saison.

La sécurité par le nombre

Une colonie de manchots empereurs mâles – la seule espèce de manchot à passer l'hiver en Antarctique – se serrent les uns contre les autres pour résister au blizzard. Ils changent régulièrement de place pour trouver une position à l'intérieur du groupe, où la température peut être supérieure de 20 °C à celle de l'air extérieur glacial. La température moyenne dans l'Antarctique est de – 60 °C.

LE FROID EXTRÊME

Les animaux s'y adaptent en cherchant un abri, en hibernant, en faisant des réserves de graisse ou en se regroupant.

Presque congelé *Plus d'un tiers du corps de la grenouille des bois nord-américaine gèle en hiver. Le cœur reprend ses battements lorsque le temps se radoucit.*

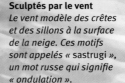

Survivre au froid
Fourrure épaisse, couches de graisse et épais coussinets des pattes isolent les ours polaires du froid.

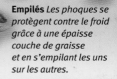

Empilés *Les phoques se protègent contre le froid grâce à une épaisse couche de graisse et en s'empilant les uns sur les autres.*

Sculptés par le vent
Le vent modèle des crêtes et des sillons à la surface de la neige. Ces motifs sont appelés « sastrugi », un mot russe qui signifie « ondulation ».

VENT

EAU

CHALEUR

Vents catabatiques *Ces vents intenses se développent lorsque l'air froid, plus dense que l'air chaud, descend des montagnes et des hauts plateaux. La vitesse du vent augmente lorsque celui-ci s'engouffre dans des gorges étroites.*

Duvet pelucheux

Couches de plumes

Pointes huileuses

Les plumes *Les ailes du manchot sont couvertes d'une couche dense de plumes courtes et raides. Le duvet plumeux à la base des plumes piège l'air chaud, tandis que la pointe huileuse isole de l'eau.*

Amour paternel *Les manchots empereurs mâles balancent un œuf unique ou un tout jeune manchot sur leurs pattes palmées. Si le petit tombe au sol, il peut mourir de froid en deux minutes. Tandis que les femelles vont chasser en mer, les mâles se tiennent debout pendant deux mois environ, endurant des températures glaciales et des vents violents.*

VENT

EAU

CHALEUR

Autriche
Avalanche

Une avalanche est une masse de neige qui se détache d'une montagne et dévale la pente. Elle requiert en règle générale trois paramètres : une couverture neigeuse instable, une pente raide et un « déclencheur ». La neige accumulée commence à glisser lorsqu'elle ne supporte plus son propre poids ou lorsque la couche inférieure glisse. Une petite vibration ou le passage d'un skieur suffisent parfois à déclencher l'avalanche. À titre préventif, il est fréquent de déclencher artificiellement les avalanches avec des explosifs, lorsque la neige est trop instable. Les avalanches provoquent environ 150 décès par an dans le monde.

AUTRICHE, AVALANCHE

LOCALISATION : Galtur, Autriche

DATE : 23 février 1999

FORCE DE L'AVALANCHE : non mesurée

PERTES HUMAINES : 31

Déferlement

Il a fallu moins d'une minute à l'avalanche pour dévaler la pente et venir s'abattre sur la petite ville de Galtur, en Autriche. Sur le lieu d'impact, la neige a atteint 90 m de hauteur, soit une masse de près de 170 000 t. Même si le risque d'avalanche avait été annoncé, il est probable que ce soient des skieurs qui aient déclenché cette catastrophe.

GLISSEMENT

Les avalanches se produisent souvent lorsque de nouvelles chutes de neige viennent en couvrir d'anciennes, humides ou gelées. Chaque type dépend de la température et de l'état de la neige.

Poudre Sur une pente très forte, la neige cède à un certain point. L'avalanche s'élargit en dévalant la pente, prenant la forme d'une goutte.

Plaque Lorsqu'une couche de neige gelée se fracture, elle peut déloger un gros bloc de neige qui dévale aussitôt la pente et se fracasse. Cela arrive souvent lorsque la sous-couche est humide.

Point de rupture *Les masses de neige en surplomb, appelées corniches, constituent souvent des zones de rupture.*

Accélération *Les avalanches prennent de la vitesse en dévalant les pentes et amassent encore plus de neige sur leur passage.*

de la neige peut se mélanger à l'air et créer un nuage poudreux, parfois de plusieurs centaines de mètres de hauteur, qui se déplace plus rapidement que le reste de l'avalanche et peut être très destructeur.

Courir se mettre à l'abri
Progressant à près de 300 km/h, l'avalanche a gagné la « zone de sécurité » de Galtür, détruisant des bâtiments et ensevelissant 57 personnes.

Piégés par la neige
Les personnes ensevelies sous une avalanche ne peuvent survivre que très peu de temps. Les sauveteurs utilisent des chiens d'avalanche, des hélicoptères, de longues perches ou tout simplement essaient de déblayer la neige pour localiser les survivants.

VENT

EAU

CHALEUR

Éthiopie
Sécheresses

Les sécheresses sont de longues périodes, qui durent parfois des années, de précipitations inférieures à la normale. Elles se produisent souvent dans des régions aux précipitations déjà faibles, par exemple les prairies proches des déserts. Certaines parties du monde, notamment près de l'équateur, connaissent des sécheresses régulières. Sans pluie ni systèmes d'irrigation, les cultures sèchent sur pied. Lorsque s'y ajoutent la surpopulation et de mauvaises pratiques agricoles, les réserves d'eau et de nourriture sont vite épuisées et la famine menace. Qui plus est, l'érosion des sols nus risque d'entraîner des dégradations irréversibles de l'environnement.

ÉTHIOPIE, SÉCHERESSE

LOCALISATION : Éthiopie et une partie de l'Afrique de l'Est

DATE : 1984-1988

INTENSITÉ : non mesurée

PERTES HUMAINES : plus de 1 000 000

Tout est à sec *L'absence de pluie fait baisser le niveau des lacs et des nappes phréatiques. Les petits ruisseaux s'assèchent, surtout lorsque la chaleur du soleil fait évaporer le peu d'eau restant.*

Cultures desséchées
Les feuilles flétrissent pour limiter les pertes d'eau de la plante. Mais les racines sont parfois encore vivantes dans le sol.

DÉSERTIFICATION

Des périodes de sécheresse alliées à des pratiques agricoles néfastes favorisent la désertification, à savoir l'évolution de terres fertiles en zones arides. Elle menace aujourd'hui un quart de notre planète.

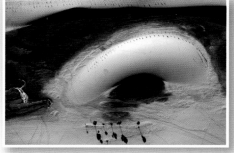

Avancée du désert La Chine a perdu depuis les années 1950 93 000 km² de terres, devenus déserts. Son gouvernement a des projets de replantation pour freiner l'extension du désert de Gobi.

En quête d'eau

L'Éthiopie a connu une sécheresse catastrophique de 1984 à 1988. Plus de 8 millions de personnes dans cette région d'Afrique ont abandonné leur maison pour partir à la recherche d'eau et de nourriture. Le bétail est mort de faim et de soif, les animaux de la faune sauvage ont perdu leur habitat naturel.

Diables de poussière *Des courants ascendants se développent lorsque le sol est surchauffé par le soleil. Ils apparaissent brutalement, soulèvent un nuage tourbillonnant de poussière, comme une mini-tornade. On les appelle « dust devils » ou « diables de poussière ».*

Sol craquelé *Sous le soleil, le sol sec durcit et se fend. Il peut y avoir encore de l'humidité en profondeur, mais le sol est trop dur pour absorber l'eau lorsqu'il pleut, aussi l'eau ruisselle-t-elle sans pénétrer.*

CANBERRA, FEUX DE BROUSSE
LOCALISATION : Canberra, Australie
DATE : 18-19 janvier 2003
INTENSITÉ : 2e incendie le plus dévastateur dans l'histoire
de l'Australie
PERTES HUMAINES : 4

Canberra

Tempête de feu

Les feux de forêts sont souvent déclenchés par des impacts
de foudre, lors d'orages sans pluie ou presque. Ils peuvent aussi
être causés par l'homme, accidentellement ou volontairement.
Poussé par des vents forts, le feu se propage le long des pentes
et de petits feux de brousse deviennent rapidement de grands
brasiers. Ces incendies sont aussi entretenus par les plantes
qui dégagent en brûlant des substances inflammables.
La chaleur intense dégagée par l'incendie souffle de l'air chaud
ascendant, créant un système météorologique spécifique.
Les rafales peuvent modifier la trajectoire du feu et le faire
progresser plus vite qu'un homme en pleine course. L'incendie
cesse lorsqu'il n'est plus alimenté en combustible et en oxygène
ou lorsqu'il pleut.

Lutte contre le feu

En 2003, la foudre a déclenché un
incendie dans un parc national proche
de la capitale australienne, Canberra.
Des vents chauds et secs soufflant à plus
de 65 km/h ont attisé les flammes et plus
de 500 habitations ont été détruites. Les
pompiers se sont battus contre la
chaleur, la fumée et les cendres pour
maîtriser le feu.

Attaque de braises ardentes
L'air chaud ascendant et le vent violent emportent des particules enflammées loin du lieu de l'incendie. Ces petits nuages ardents peuvent embraser un véhicule ou un bâtiment, même si les matériaux sont résistants au feu.

Tornade de feu
Les températures extrêmes atteintes au cœur de l'incendie déclenchent parfois des vents tourbillonnants, en minitornade. Ces courants d'air chaud et enflammé peuvent s'élever très haut dans le ciel.

Renforts aériens
Avions et hélicoptères « bombardent » les incendies avec de l'eau ou des produits chimiques destinés à abaisser la température des flammes et à limiter l'extension du feu.

VENT

EAU

CHALEUR

SINGAPOUR, LES FAITS

LOCALISATION : République de Singapour

SAISON DES ORAGES : période d'activité maximale avril-mai et novembre

FRÉQUENCE DES ORAGES : 171 jours d'orage par an

PERTES HUMAINES : chiffre inconnu

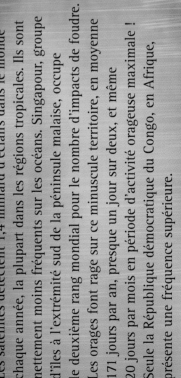

Singapour
Un ciel d'éclairs

Les satellites détectent 1,4 milliard d'éclairs dans le monde chaque année, la plupart dans les régions tropicales. Ils sont nettement moins fréquents sur les océans. Singapour, groupe d'îles à l'extrémité sud de la péninsule malaise, occupe le deuxième rang mondial pour le nombre d'impacts de foudre. Les orages font rage sur ce minuscule territoire, en moyenne 171 jours par an, presque un jour sur deux, et même 20 jours par mois en période d'activité orageuse maximale ! Seule la République démocratique du Congo, en Afrique, présente une fréquence supérieure.

Parades contre la foudre

Singapour prend la foudre au sérieux. Paratonnerres et protections contre les surtensions équipent de nombreuses constructions et installations électriques. Câbles électriques et lignes téléphoniques sont très souvent enterrés. Malgré ces précautions, la foudre fait chaque année plusieurs victimes. Un éclair crée une décharge électrique de près de 100 millions de volts, avec un échauffement intense.

Pas de danger en vol
Hélicoptères et avions résistent aux effets de la foudre. S'ils sont touchés, la charge électrique se propage tout autour de la carlingue puis poursuit son trajet dans l'air.

1 **Paratonnerre** *Placé au sommet des hauts bâtiments, il est constitué d'une tige métallique prolongée par des câbles qui transportent l'électricité libérée par la foudre jusque dans le sol.*

2 **Nature protégée** *Dans le jardin botanique de Singapour, plus de 120 vieux arbres ont été équipés de fils de cuivre tout le long du tronc. S'ils sont touchés par la foudre, l'électricité est « déviée » par les conducteurs et l'arbre est protégé.*

3 **En bord de mer** *Quand la foudre touche l'eau, la charge électrique se répartit en surface. Il est possible d'être foudroyé dans l'eau, mais c'est le plus souvent sur les plages que des baigneurs sont touchés.*

Phénomènes extrêmes

Une station météo doit disposer de 10 ans de mesures avant qu'une donnée extrême puisse être considérée comme un enregistrement officiel.

LE TEMPS EN QUELQUES RECORDS

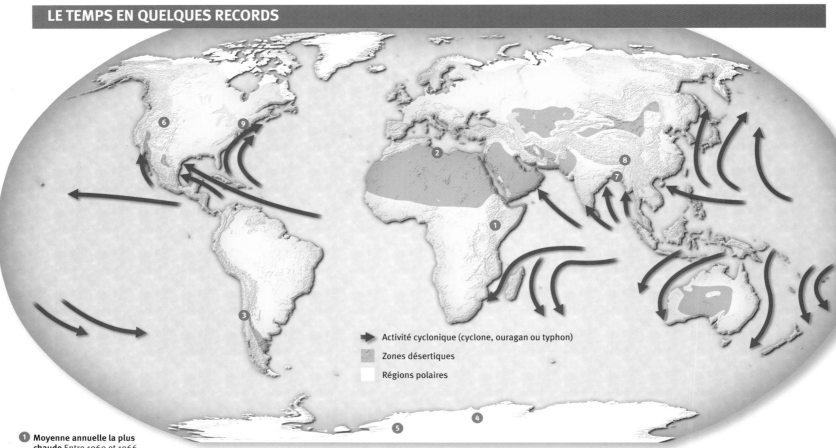

➤ Activité cyclonique (cyclone, ouragan ou typhon)

Zones désertiques

Régions polaires

1 Moyenne annuelle la plus chaude Entre 1960 et 1966, Dallol, en Éthiopie, a enregistré une température moyenne de 34,4 °C.

2 Record de chaleur En septembre 1922, le thermomètre a atteint 57,8 °C à Al 'Aziziyah en Libye.

3 L'endroit le plus sec Avec des précipitations moyennes annuelles de 0,08 mm, le désert d'Atacama, au Chili ne reçoit presque aucune pluie.

4 L'endroit le plus froid La température de la station de Vostok, dans l'Antarctique, est tombée à – 83,2 °C en juillet 1983.

5 Moyenne annuelle la plus froide Au pôle d'inaccessibilité en Antarctique, la moyenne annuelle est de – 58 °C.

6 La plus grande variation de température sur 24 heures En janvier 1916 à Browning dans le Montana, aux États-Unis, la température a chuté de 6,7 °C à – 49 °C.

7 Le plus gros grêlon En avril 1986, un grêlon de 1 kg est tombé dans le district de Gopalganj au Bengladesh.

8 La plus forte pluviométrie moyenne annuelle 11 874 mm, à Mawsynram, en Inde.

9 Les vents les plus violents En 1934, des vents de 372 km/h ont été enregistrés sur le mont Washington (New Hampshire) aux États-Unis.

IMPACTS DE FOUDRE DANS LE MONDE

La République démocratique du Congo détient le record du nombre d'impacts de foudre par an. Singapour vient en deuxième position. La Colombie, l'Himalaya et la Floride, aux États-Unis, connaissent aussi une intense activité orageuse. Les zones à plus forte activité orageuse sont représentées par ordre décroissant en violet foncé, en rouge puis en orangé.

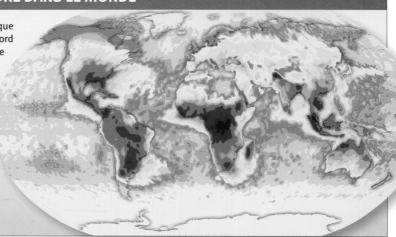

FORCE DU VENT ET VAGUES

Force 0 : calme
Pas de vent ni de vagues, mer calme et plate.

Force 4 : brise modérée
Le vent souffle de 21 à 29 km/h. Petites vagues, certaines avec une écume mousseuse sur la crête.

Force 8 : fort coup de vent
Sa vitesse : entre 63 et 74 km/h. Vagues hautes et longues en lames, avec des tourbillons d'écume.

Force 12 : ouragan ou cyclone
Le vent souffle à 120 km/h et davantage. Les vagues dépassent 14 m de hauteur, écume et embruns sont très présents dans l'air.

La plus grande vague de tsunami :
En 1958 dans la baie de Lituya en Alaska. Hauteur 524 m.

La plus grande vague de tempête :
30 m de hauteur

Une vague moyenne :
2 m de hauteur

Les vents sur l'échelle de Beaufort
Cette échelle mesure la force du vent, en mer essentiellement, avec des niveaux allant de 0 à 12. C'est la force du vent qui détermine la hauteur des vagues.

LES COURANTS OCÉANIQUES

Les données concernant les océans, telles que les courants et les températures, sont utilisées pour les prévisions météorologiques. Cette carte montre un courant dans l'Antarctique, avec des eaux à déplacement rapide (rouge et jaune) et plus lent (bleu).

CONSIGNES DE SÉCURITÉ EN CAS DE FORTE TEMPÊTE

Cyclone
À l'intérieur • Restez dans une pièce fermée en étage, loin des fenêtres • Débranchez les appareils électriques **Dehors** • Rentrez à l'abri **Dans un véhicule** • Éloignez-vous des zones pouvant être inondées.

Orage
À l'intérieur • Restez à l'abri • Fermez les fenêtres • Débranchez les appareils électriques **Dehors** • Abritez-vous dans un bâtiment • Évitez les objets métalliques • Recroquevillez-vous dans un endroit sûr **Dans un véhicule** • Fermez portières et vitres • Ne vous garez pas sous les arbres.

Tornade
À l'intérieur • Restez à l'intérieur, loin des fenêtres **Dehors** • Si vous ne pouvez vous abriter, allongez-vous dans une zone basse • Couvrez votre tête **Dans un véhicule** • Ne restez pas dedans • N'essayez pas de la « dépasser ».

Inondation
À l'intérieur • Gagnez les étages ou le toit **Dehors** • Réfugiez-vous sur les hauteurs • Éloignez-vous des cours d'eau et des canalisations d'eau pluviale **Dans un véhicule** • Si les eaux vous rattrapent, quittez le véhicule et gagnez un point haut.

OURAGANS : ÉCHELLE DE SAFFIR-SIMPSON		
	VITESSE DU VENT (KM/H)	DÉGÂTS
1	119-152	minimes
2	153-176	modérés
3	177-208	importants
4	209-248	extrêmes
5	plus de 248	catastrophiques

L'échelle de Saffir-Simpson est utilisée depuis les années 1970 pour classer les ouragans dans l'Atlantique et le Pacifique Nord-Est. Elle est divisée en cinq catégories selon l'intensité des vents.

TORNADES : ÉCHELLE DE FUJITA ÉTENDUE		
	VITESSE DU VENT (KM/H)	DÉGÂTS
EF0	105-137	légers
EF1	138-177	modérés
EF2	178-217	considérables
EF3	218-266	graves
EF4	267-322	dévastateurs
EF5	plus de 322	incroyables

L'échelle de Fujita étendue (EF) classe la force des tornades en 6 catégories. Les tornades de catégorie EF5 sont très rares.

LES TYPES DE NUAGES

Limite supérieure de la troposphère

Cirrostratus

Cirrocumulus

5 000 m

Altostratus

Altocumulus

2 000 m

Stratocumulus

Stratus

Niveau de la mer

Les nuages se forment à toutes les altitudes. Leur nom est fonction de leur altitude et de leur forme. Il s'obtient en combinant les préfixes alto- et cirro- avec les mots latins *stratus* « plat » et *cumulus* « amas ». Les nuages de basse altitude n'ont pas de préfixe.

Glossaire

Adaptation Façon dont les espèces animales ou végétales ajustent leurs caractéristiques et leurs comportements pour survivre à de nouvelles conditions d'environnement.

Altitude Hauteur par rapport au niveau de la mer.

Anémomètre Instrument de mesure de la vitesse du vent.

Atmosphère Ensemble des couches gazeuses qui enveloppent certaines planètes, comme la Terre.

Aurore polaire Phénomène lumineux coloré, qui se produit lorsque des particules chargées électriquement, venues du Soleil, heurtent les molécules d'oxygène et d'azote dans l'atmosphère terrestre. Ces aurores sont généralement observées dans les régions polaires.

Avalanche Masse de neige qui se détache puis dévale la pente d'une montagne.

Axe Ligne imaginaire qui passe par le centre d'une planète et autour de laquelle celle-ci tourne.

Banquise Grande étendue de glace flottante formée d'eau de mer gelée.

Baromètre Instrument de mesure de la pression atmosphérique.

Beaufort (échelle de) Mise au point en 1805 par l'amiral William Beaufort, cette échelle classe les vents en fonction de leur force (vitesse).

Blizzard Tempête de neige sévère, avec des vents dépassant 57 km/h.

Brouillard Nuage qui se forme près du sol ou sur le sol.

Cirrus Nuage d'altitude constitué de cristaux de glace, d'aspect duveteux et filamenteux.

Climat Le temps qu'il fait dans une région donnée sur une longue période (30 ans au moins).

Condensation Formation d'eau liquide à partir de vapeur d'eau.

Convection Mouvements d'une masse d'air ou d'eau vers le haut ou vers le bas, dus à des différences de température.

Coriolis (force de) Force qui dévie les masses d'air, et donc les systèmes des vents, du fait de la rotation de la Terre.

Courant Flux d'air, d'eau ou d'électricité.

Courant ascendant Mouvement d'air vers le haut, orienté à l'opposé du sol. C'est dans les orages que l'on observe les plus forts courants ascendants.

Courant descendant Mouvement d'air dirigé vers le bas, vers le sol.

Crue Montée du niveau d'un cours d'eau ou d'un lac, entraînant l'inondation des terres proches.

Cumulonimbus Évolution d'un cumulus, avec développement vertical, souvent annonciateur d'orage.

Cumulus Nuage bas, blanc, à base plate et sommet bourgeonnant.

Cyclone Tempête intense, accompagnée de vents violents et tourbillonnants, prenant naissance au-dessus des océans dans les zones tropicales, le plus souvent en été et en automne ; appelé aussi ouragan ou typhon selon la localisation.

Désert Région qui reçoit très peu de pluie et où poussent très peu de plantes.

Désertification Processus par lequel des terres fertiles évoluent en désert.

Diable de poussière (« dust devil ») Petite colonne verticale de vent tourbillonnant transportant sable ou poussière.

Dioxyde de carbone Gaz présent dans l'atmosphère, dégagé par les êtres vivants, mais aussi morts, ainsi que par les combustibles fossiles comme le pétrole ou le charbon.

Dropsonde Cylindre métallique abritant des instruments de mesure, muni d'un parachute et lâché par avion pour collecter des informations scientifiques sur les orages.

Éclair Lumière intense et brève produite par l'électricité atmosphérique générée dans un nuage d'orage.

El Niño Courant océanique anormalement chaud qui se produit tous les deux à sept ans sur les côtes occidentales d'Amérique du Sud. Les cycles d'El Niño alternent généralement avec ceux de La Niña, qui apportent des eaux anormalement froides jusqu'aux côtes occidentales d'Amérique du Sud.

Équateur Ligne imaginaire tracée tout autour de la Terre, à mi-chemin entre les pôles Nord et Sud.

Évaporation Transformation de l'eau liquide en vapeur d'eau.

Foudre Décharge électrique violente produite par l'orage.

Front froid L'avant d'une masse d'air froid qui se déplace.

Front chaud L'avant d'une masse d'air chaud qui se déplace.

Givre Fine couche de glace qui se forme par condensation de l'humidité de l'air en surface des feuilles, du verre et d'autres objets.

Glace eau gelée.

Glacier Masse de glace formée par le tassement de chutes de neige accumulées, et qui s'écoule très lentement dans une pente ou une vallée.

Grêle Forme de précipitation composée de grêlons, particules de glace formées dans les cumulonimbus et qui sont à l'état solide lorsqu'elles touchent le sol.

Gulf Stream Courant océanique qui véhicule des eaux chaudes de la mer des Antilles jusqu'en Atlantique Nord.

Hémisphère Une moitié de la Terre, centrée sur un pôle.

Humidité de l'air Quantité de vapeur d'eau contenue dans l'air.

Iceberg Masse de glace flottante qui s'est détachée de la banquise.

Jet Stream Courant aérien étroit constitué de vents violents, circulant entre 8 et 20 km d'altitude.

Latitude Distance d'un point par rapport à l'équateur, exprimée en degrés nord ou sud.

Marée Phénomène de montée et de descente alternées du niveau de la surface de l'océan, dû à l'attraction de la Lune et du Soleil.

Marée de tempête Élévation anormale du niveau de la mer sur les côtes à l'approche d'une tempête tropicale.

Météorologie Étude scientifique des phénomènes atmosphériques, donc du climat.

Mousson Changement saisonnier dans le régime des vents. Certaines moussons apportent des pluies tandis que d'autres apportent un air froid et sec.

Neige Précipitation sous forme de cristaux de glace rassemblés en flocons.

Nuage Masse constituée de minuscules gouttes d'eau ou de particules de glace, visible et suspendue dans l'atmosphère.

Orage supercellulaire Orage intense qui peut durer plusieurs heures.

Ozone (couche d') Fine couche gazeuse présente dans la stratosphère et qui absorbe les rayons UV du soleil, nocifs pour la vie sur Terre.

Pluie Précipitation sous forme liquide, en gouttes d'eau.

Pluviométrie Quantité de pluie tombée à un endroit donné sur une certaine période.

Pôle Nord Le point situé le plus au nord sur la Terre.

Pôle Sud Le point situé le plus au sud sur la Terre.

Précipitations Chutes de pluie, de neige ou de grêle.

Pression atmosphérique Le poids de l'air sur un point de la surface de la Terre.

Rayonnement solaire Énergie émise par le Soleil.

Raz-de-marée Très haute vague qui envahit les terres, provoquée par une tempête, un tremblement de terre ou une éruption volcanique sous-marine.

Réchauffement climatique Augmentation de la température moyenne dans l'atmosphère qui entoure la Terre.

Sécheresse Longue période sans pluie ou avec très peu de précipitations.

Solaire Relatif au Soleil.

Stratosphère Couche gazeuse de l'atmosphère située au-dessus de la troposphère et qui contient la couche d'ozone.

Stratus Nuage constitué de voiles superposés, présent autour de 2 000 m d'altitude.

Système solaire Ensemble constitué du Soleil et des planètes et autres corps célestes qui gravitent autour du Soleil.

Tempête de feu Se dit d'un incendie d'une telle ampleur, avec des températures extrêmes, qu'il crée son propre système météorologique très localisé.

Temps Conditions atmosphériques à un endroit ou un moment donné.

Thermomètre Instrument de mesure de la température.

Tonnerre Bruit qui accompagne la foudre.

Tornade Perturbation en forme de colonne, constituée de vents violents tourbillonnants, généralement occasionnée par un orage et qui atteint le sol.

Troposphère La couche gazeuse la plus basse de l'atmosphère, où se produisent la plupart des phénomènes météorologiques (vent, pluie...).

Tsunami Vague gigantesque (raz-de-marée) causée par un tremblement de terre, un glissement de terrain ou une éruption volcanique.

Ultraviolet (UV) (rayonnement) Rayonnement invisible mais dommageable pour la vie sur Terre, qui fait partie de l'énergie émise par le Soleil. Les rayons UV peuvent brûler l'épiderme et être à l'origine de cancers de la peau.

Vague de chaleur Longue période de températures anormalement élevées.

Vapeur d'eau Eau sous forme gazeuse.

Vent Air en mouvement.

Vent solaire Flux de particules chargées en électricité, éjectées par la haute atmosphère du Soleil.

Verglas Couche de glace qui se forme sur une surface dure lorsque tombe une pluie de température inférieure à 0 °C.

Index

Crédits

(hg : en haut à gauche, hd : en haut à droite, hc : en haut au centre, cg : au centre et à gauche, cd : au centre et à droite, c : au centre, bg : en bas à gauche, bc : en bas au centre, bd : en bas à droite)

CARTES
Andrew Davies, Creative Commmunication
ILLUSTRATIONS
Couverture Dr Mark Garlick

Quatrième de couverture Dr Mark Garlick hd, bd ; MBA Studios, c, bg
Dos Dr Mark Garlick
Peter Bull Art Studio 50 bc
Christer Eriksson 50-51, 52-53, 56-57
Dr Mark Garlick 8-9, 12-13, 18-19, 20-21, 28-29, 30-31, 32-33
Andy@kja-artists 52 hd, 53 bg
MBA Studios 10-11, 14-15, 22-23, 24-25, 26-27, 36-37, 40-41 44-45, 46-47, 48-49
Dave Tracey 16-17, 38-39, 42-43, 54-55, 58-59
Guy Troughton 50 bg

PHOTOGRAPHIES
CBT= Corbis ; GI= Getty Images ; NASA= National Aeronautics and Space Administration ; SPL= Science Photo Library ; TPL : photolibrary.com

21 hg GI ; **22** hd SPL ; **28** bg, cg NASA, hd GI ; **33** cg, cd SPL ; **37** bg CBT ; **37** hd Katsuhiro Abe, Bureau of Meteorology ; **41** hg CBT ; **49** hg weatheranswer.com ; **54** bd TPL ; **57** hc CBT ; **61** hd TPL